LA AMAZONIA

CUADERNOS DE VIAJE DE TINTÍN

Creación y diseño de la colección a cargo de Martine Noblet

Les films du sable agradecen la participación en esta obra
a los siguientes fotógrafos de **Connaissance du monde**:

Jacques Cornet, Gérard Civet, Luc Giard,
Anne-Sophie Tiberghien, Claude Jannel y Michel Aubert

Los autores agradecen la colaboración
de C. Erard y D. De Bruycker

Título original: L'Amazonie
Traducción de Beatriu Cajal

© Hergé/Moulinsart
© Casterman, S. A., 1995, por la presente edición
© Editorial Planeta, S. A., 1995
Córcega, 273-279, 08008 Barcelona (España)
Primera edición: setiembre de 1995
ISBN 84-08-01537-0
ISBN 2-203-05210-4, edición original

LA AMAZONIA

Texto: Martine Noblet y Chantal Deltenre

PLANETA junior

Al releer las proezas de Tintín, me sorprende constatar que, en compañía de mis padres y de mis ocho hermanos y hermanas, a menudo nos hemos cruzado, precedido o seguido. Los Mahuzier en África, en Australia, en América del Norte, en Rusia, en el Nepal, en Ladakh, en Zanskar, en el Tibet y también en Siberia, en Asia central, Japón, etc. Es decir, veintidós grandes aventuras..., iba a decir veintidós álbumes de Tintín.

La número veintitrés podría habernos permitido vivir juntos uno de los mejores reportajes realizados por la familia Vuelta al Mundo: los Mahuzier en el río Amazonas, seis largas estancias a la búsqueda de un único tesoro que Tintín y los Mahuzier siempre han querido descubrir: el conocimiento del mundo, el conocimiento de los otros, la amistad entre los pueblos. Estaríamos orgullosos de que Tintín fuera miembro de honor de la Tribu Mahuzier, ya que seguimos el mismo camino. Tintín, Premio Nobel de la Paz, ¿por qué no?

YVES MAHUZIER

La pequeña Samantha ha seguido a menudo los pasos de Anne-Sophie, como Milú sigue la huella de Tintín: en la búsqueda de aventuras, en el descubrimiento de pueblos. Ahora envidio la capacidad del héroe de los pantalones bombachos por resolver los problemas con los que se encuentra. ¿Temía Tintín que la última tribu de la Amazonia sería un día salvajemente exterminada por los de nuestra raza? Constatación odiosa. Los «civilizados» han hecho de estos «salvajes» unos borrachos, decía el capitán Haddock. Pero los «civilizados» han hecho algo peor que eso: mientras leéis estas líneas, los yanomamis ya no existen: descuartizados, violados, su territorio saqueado... Los buscadores de oro y de diamantes, los terratenientes, gente sin fe ni ley, continúan destruyendo la selva amazónica, contaminando sus ríos y liquidando sin escrúpulos a los indios que les estorban.

Siento vergüenza de nuestra raza, que no sabe respetar ni el alma ni la vida de los pueblos autóctonos. Son ellos, los salvajes, los que me han enseñado el sentido de la palabra «civilizado». Últimas tribus de la tierra, cercanos a Dios y a la Naturaleza, los indios han resistido hasta el siglo XX. Pero nuestra civilización avanza como un *bulldozer*. Mi revolución se siente desesperadamente impotente. Con la ayuda de Tornasol, los Hernández-Fernández y los demás, cómo me gustaría ser Tintín...

ANNE-SOPHIE TIBERGHIEN

SUMARIO

Las palabras en **negrita** del texto remiten al glosario de la página 70

¿DE DÓNDE PROCEDE EL NOMBRE DEL AMAZONAS?

Se debe al error de un explorador que, perdido en el gigantesco río, lo dio a conocer en Europa como el río «de las Amazonas», porque creía haber combatido allí contra mujeres guerreras.

ATACADO por los yaguas, guerreros de largos cabellos, **Orellana**, lugarteniente del conquistador Pizarro, los tomó por mujeres, primas de las legendarias amazonas de la Antigüedad. En cambio, la denominación local del río parecía adecuarse mejor referida a sus enormes dimensiones: «o río-mar», el río mar...

Con sus 6.500 km de longitud y su millar de afluentes —algunos más largos que el Rin—, el **Amazonas** es el río más caudaloso del mundo. Por su desembocadura de 350 km de anchura, 300.000 millones de litros de agua dulce (equivalentes a 50 veces el caudal del Nilo) van a parar cada hora al océano Atlántico, alejando el agua salada hasta 100 km de la costa.

Su cuenca ostenta también todos los récords. De los Andes al Atlántico, con un territorio tres veces más extenso que el de la Unión Europea, la Amazonia es una amplia depresión de fondo casi plano donde el río y sus afluentes serpentean en meandros sin fin, extendiéndose por muchos kilómetros de anchura. En época de crecida, normalmente las aguas inundan el bosque y lo sumergen hasta 40 km por lado, arrastrando a la deriva pedazos de ribera, que se convierten, de este modo, en auténticas islas flotantes. El Amazonas deja tras su paso zonas pantanosas, a veces tan grandes como la península Ibérica.

¿QUÉ ES EL IGAPÓ?

Bosque espeso y pantanoso de la Amazonia, el igapó es el reino de las tortugas, los cocodrilos, los peces, los cangrejos y las nutrias.

L A selva amazónica es un bosque húmedo permanentemente regado por las lluvias ecuatoriales y bañado, a menudo, por la crecida de los ríos. Su terreno es, pues, muy pantanoso. Los altos árboles crecen con las ramas hacia el sol y las raíces en el agua, y los animales se ven obligados a elegir entre ser buenos nadadores o pasarse la vida en la copa de los árboles.

El bosque comprende, además, dos niveles claramente diferenciados. Arriba, suspendido a unos cuarenta metros, un mundo soleado y centelleante, donde las olorosas flores y las bayas carnosas nutren a todo un universo de pájaros, monos acróbatas y mariposas. Abajo, el suelo, esponjoso o recubierto de agua, se halla sumergido en un crepúsculo perpetuo, puesto que el denso follaje no deja filtrar más que un débil uno por ciento de la luz solar. Los restos caídos de los árboles se pudren entre raíces, musgos y helechos o son devorados por crustáceos, peces, reptiles, batracios y mamíferos de todo tipo…

En este mundo **anfibio**, se encuentra de todo. Ciertos peces que evolucionan en el agua fangosa prefieren respirar en la superficie gracias a sus pulmones (incluso trepando a los árboles, como una especie de pez-gato). Respecto a las ranas, prefieren buscar su morada a cierta altura.

¿QUÉ ES EL «INFIERNO VERDE»?

Enredados en la vegetación, vencidos por el calor húmedo y los insectos, minados por las fiebres, los pocos europeos que se arriesgaron a ir a la Amazonia encontraron a menudo la muerte...

E STA selva no se parece a ninguna otra. Es una selva virgen, llamada «primaria», jamás explorada por el hombre, donde ninguna planta predomina sobre las demás, pero todas crecen codo con codo e incluso unas sobre las otras, como las lianas y las orquídeas. Empujándose para captar el mínimo rayo de luz, los grandes árboles rivalizan en altura: hasta cuarenta metros en la zona húmeda y el doble allí donde el suelo es más firme.

Es un mundo de titanes, con árboles desconocidos en otras partes, como el brasil —cuya madera roja como la brasa ha dado nombre al país—, el anacardo, el palisandro y la famosa hevea, a la que los indios llaman cahuchu. Su savia nos proporciona el **caucho**. Otras 100.000 especies forman la riqueza de este paraíso botánico, desde las plantas del género *Strychnos* (cuya resina tóxica proporciona el curare) al nenúfar *Victoria*, con sus hojas gigantes en forma de bandeja.

Todavía hoy, la ciencia descubre, en la profundidad de la selva brasileña, plantas desconocidas, de las cuales quizá se obtengan en el futuro algunas medicinas. Los animales también se benefician de esta diversidad botánica. Algunos, desaparecidos en otras zonas de la Tierra, como el **tapir**, han encontrado en la Amazonia un hábitat ecológico a su gusto.

¿SE PUEDE NADAR EN EL AMAZONAS?

A pesar de la terrible reputación de algunos peces, bañarse en el Amazonas no equivale a suicidarse: ¡las pirañas no devoran todo lo que se mueve!

LAS pirañas, ese terror del Amazonas, son, principalmente, carroñeros de río que se alimentan de animales ahogados en las crecidas de los ríos, o de enfermos o heridos. Estos pequeños peces carnívoros que, atraídos por la sangre, se unen en multitudes para la comida, trocean en pocos minutos a su presa con sus fuertes mandíbulas y afilados dientes. No obstante, si las pirañas fueran tan voraces como se dice, ¡no habría ningún otro animal en la Amazonia! En cambio, todavía viven allí miles de especies acuáticas, algunas de ellas bastante inquietantes...

Algunas son gigantes, como el gimnoto, que se parece a una gran anguila (y cuyas descargas eléctricas pueden tumbar a un buey), o la famosa anaconda, una pitón de agua que puede alcanzar los diez metros, sin olvidar a la tortuga matamata ni al pirarucu, un gran pez de 135 kg, de cuya carne se alimentan muchos habitantes del río. Y también los **caimanes** que infestan ciertos ríos, o las **sanguijuelas**, más discretas, de las que no es fácil desembarazarse.

Igualmente sorprendentes son el delfín rosa, la nutria gigante y el tranquilo manatí, que se alimenta de las algas de los márgenes.

¿CUÁL ES EL ANIMAL QUE TIENE LA LENGUA MÁS LARGA?

El oso hormiguero, o gran hormiguero amazónico, tiene una lengua tan larga como fina: sesenta centímetros para buscar hormigas y termitas en el fondo de sus nidos.

E L rey de la selva húmeda es el jaguar, un felino parecido a la pantera. Observa a sus presas: el pecarí (una especie de cerdo salvaje), el ciervo de las marismas y un enorme ratón sin cola, el cabiay, que puede alcanzar un metro treinta de largo.

Pero el jaguar no deja de tener rivales. La selva alberga también pequeños y graciosos depredadores, como el ocelote, la marta, el zorro (una especie del cual se dedica a la pesca del cangrejo...) y diversos primos del mapache, entre los que se cuenta el astuto coatí. Todos estos pequeños carnívoros se alimentan tanto de fruta como de pájaros, ranas, peces e incluso insectos, que se los disputan entonces a los verdaderos especialistas que son el oso hormiguero y el tatú, de pesado caparazón articulado.

Para acabar, citemos al perezoso. Este tranquilo comedor de hojas sólo pisa el suelo cuando necesita cambiar de fuente de suministro. Experto en esconderse en los árboles, su lentitud y las algas verdosas que lleva en la espalda lo hacen fácilmente confundible con un haz de musgo suspendido de las ramas...

¿LA SELVA VIRGEN ES SILENCIOSA?

A ras de suelo, la oscura selva es un mundo de silencio en comparación con la copa de los árboles, donde resuena el quirigay de los loros, tucanes y monos aulladores.

E L mundo de la copa de los árboles, vivamente coloreado bajo el sol cegador, se denomina canopea.
La mayoría de sus habitantes no ven nunca el
suelo.

Serpientes, felinos, murciélagos carnívoros, arañas,
águilas arpías y otros depredadores se camuflan per-
fectamente en él, vigilando a sus presas entre el follaje. Aquellos a los que la naturaleza no ha dotado de
alas, como los monos, algunas especies de ardillas o
incluso de ranas, se escabullen gracias a sus habilida-
des acrobáticas o planeadoras. Otros, en cambio,
apenas se preocupan por esconderse y se fían de la
señal de alarma de sus congéneres, que actúan como
centinelas. De este modo actúan los monos aulladores.

Los que tienen alas no dudan en adornarse con todos los
colores del arco iris, como los resplandecientes colibríes
y los **tucanes**, de enorme y abigarrado pico. Pero las
vedettes son los loros, algunas de cuyas especies, desde
los grandes guacamayos azules y amarillos hasta las de-
licadas cotorras, añaden a este coloreado espectáculo
las estridentes notas de una cacofonía perpetua.

¿DE DÓNDE PROCEDE EL CAUCHO?

Los productos vegetales han constituido siempre la principal riqueza de la Amazonia: la explotación de la madera coloreada del «palo brasil» y, sobre todo, el caucho, obtenido de la savia de la hevea.

Los botánicos conocían desde hacía tiempo las propiedades del látex, pero no le encontraban otra utilidad que la que ya habían descubierto los indígenas: impermeabilizar calzado y ropa o fabricar pelotas para jugar. Fue el **neumático**, accesorio indispensable para los automóviles e inventado en 1888, el que significó la fortuna de la Amazonia y, principalmente, de las ciudades de Iquitos en Perú o Manaos en Brasil.

Aquí, a miles de kilómetros de cualquier civilización urbana, en el corazón de la selva virgen recorrida en todos los sentidos por recolectores llamados seringueiros, el famoso **Fitzcarraldo** y otros «barones» del caucho llevaron una vida de despilfarro, importando de Europa, a precios prohibitivos, los vestidos de sus esposas, el mármol de sus residencias y hasta los cantantes que actuaban en la ópera de Manaos, trasladados hasta allí por navíos mercantes que, acto seguido, descendían por el río cargados con el preciado látex.

En 1920, desgraciadamente, un inglés consiguió sustraer algunas semillas de hevea que trasplantó con éxito en Malasia... Luego, la aparición del caucho sintético, obtenido del petróleo, calmó la fiebre del «oro blando» y puso fin al boato de sus magnates. Quizá algún día, recursos todavía desconocidos de la flora amazónica, rica en plantas medicinales, proporcionarán una nueva edad de oro a esta región.

¿POR QUÉ LA AMAZONIA ES «EL PULMÓN DEL MUNDO»?

El bosque ecuatorial tiene un papel esencial en la renovación del oxígeno de nuestro planeta. Casi un tercio de dicho bosque se localiza en la Amazonia.

El bosque amazónico es un potente regenerador de la atmósfera terrestre. Por eso es de capital importancia conservar esta inmensa «zona verde». Desgraciadamente, cada día se pierden en Brasil más de 50 km² de bosque. La causa es la **desforestación**, bien sea por la explotación minera, el trazado de las rutas transamazónicas o la construcción de gigantescas presas. También influye el constante vaciado de parcelas en las que se asientan los campesinos que huyen de regiones demasiado pobladas.

El bosque tropical, aparentemente exuberante y rico, tiene en realidad un suelo frágil y pobre. La fina capa de tierra fértil, expuesta al aire libre, es arrastrada rápidamente por las lluvias o barrida por el viento. Para desesperación de los colonos que habían pretendido basar en ellas su subsistencia, las zonas desforestadas de este modo se transforman entonces en desiertos. Arruinados, no les resta más que la triste perspectiva de amontonarse en los suburbios que rodean las grandes ciudades en busca de una situación menos dramática.

Tras de ellos, la selva no se recuperará nunca más... A no ser que vuelva a ser habitada por los indígenas, los únicos capaces de vivir en ella en armonía con el medio.

¿QUIÉNES SON LOS INDIOS DE LA AMAZONIA?

Tras cruzar el estrecho de Bering cubierto de hielo, los primeros indios pasaron rápidamente de América del Norte a América del Sur. Algunos de ellos se instalaron en la Amazonia hace unos 10.000 años.

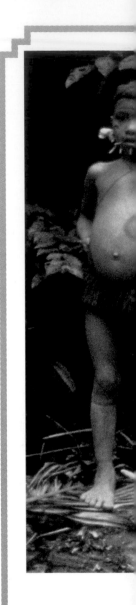

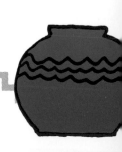

GUARANÍES, tupíes, **yanomamis**... los indios de la selva forman diversos pueblos y numerosas tribus. Si bien todas parten de un modo de vida adaptado al medio natural, cada una tiene su lengua, su religión, sus tradiciones y su sistema social.

Los indios viven en grupos dispersados en inmensos espacios y, con raras excepciones, en comunidades que no sobrepasan los doscientos individuos. Viven en perfecta armonía con la selva, universo protector y mágico donde todo apunta a lo sobrenatural. Acercarse al «más allá de las cosas», estar en contacto permanente con los espíritus superiores es, pues, una necesidad vital. Es un encuentro que se produce bajo la dirección del **chamán** y gracias a la utilización de drogas.

Pero la locura de los hombres «civilizados» hace que anualmente desaparezcan, quemadas, millones de hectáreas de selva amazónica, que representan el mejor de los refugios para los indios.

¿QUIÉN INVENTÓ LA CERBATANA?

Los indios crearon esta arma, precisa y silenciosa, hecha con un largo tubo vacío, por donde el aire propulsa una pequeña flecha que, algunas veces, tiene la punta cubierta por un veneno fulminante: el curare.

N o todos los indios cazan con cerbatana: según el tipo de caza, unas tribus utilizan trampas, arco o lazo, mientras otras prefieren la pesca con arco, al arpón o la red. Si bien los indios aprecian los productos de sus cosechas, para ellos representan sólo un complemento en relación con la **mandioca**, que cultivan en los claros que obtienen quemando la vegetación original y que devolverán al bosque cuando la tierra empiece a agotarse.

Bajo este clima pegajoso, que no permite trabajar más que temprano por la mañana o a última hora del atardecer, la vida de los indios se dedica, principalmente, al recreo y a las ceremonias, así como a su preparación: confección de vestidos y realización de maquillajes primero, después danzas, cantos y juegos. La magia y los sueños vividos bajo el efecto del tabaco o las drogas tradicionales tendrán relación permanente con los ritos y las fiestas. Todas estas actividades perpetúan para los indios la memoria y las tradiciones de su tribu. Celebran la estrecha alianza entre los hombres, la naturaleza que los rodea y la presencia mágica de los espíritus.

¿LOS JÍBAROS TODAVÍA REDUCEN CABEZAS?

Misioneros y administraciones han prohibido a estos indígenas de los confines de la Amazonia que practiquen su rito fundamental...
Pero ¿no se está bastante lejos del mundo en el interior de la selva amazónica?

DESDE el descubrimiento del Nuevo Mundo, los misioneros (especialmente los **jesuitas**) intentaron, a menudo poniendo en peligro sus propias vidas, convertir y «reeducar» a los indios. Concentrando a estos nómadas en los poblados construidos alrededor de las misiones, imponiéndoles la vestimenta europea, prohibiendo la poligamia y otras costumbres, e incluso su lengua, pretendían aportar a estos pueblos, llamados «salvajes», la salvación del alma y una vida más «digna».

Los misioneros privaron a estos pueblos de todas sus razones de existir: más que las enfermedades importadas de Europa, los fusiles de los colonos o el trabajo en las plantaciones, fue la desesperanza la que minó y diezmó a los indígenas.

En el siglo XVI había tres millones de indios en Brasil. Hoy quedan apenas 150.000, a los que la FUNAI (Fundación Nacional del Indígena) intenta proteger contra la presión de los buscadores de oro y de las grandes sociedades madereras. La campaña de prensa realizada por el cantante Sting y el **cacique** Raoni ha atraído la atención mundial sobre el genocidio de los yanomamis. Pero para muchas otras tribus es ya demasiado tarde...

¿CUÁLES SON LAS GRANDES CIVILIZACIONES INDIAS?

De los Andes hasta México, muchos pueblos indígenas han dejado impresionantes vestigios que dan testimonio de su alto nivel cultural.

OMO los incas del Perú, los pueblos de México fueron ambiciosos constructores. Los famosos **aztecas** habían heredado toda una tradición de refinadas culturas: las de los **toltecas**, los **olmecas** y los sabios **mayas**. Sus pirámides, después de más de mil años, han sido halladas recientemente bajo los árboles y las lianas de la selva del Yucatán. ¿Quién sabe si otros monumentos duermen todavía bajo la espesa frondosidad de la selva virgen, en el corazón de la Amazonia?

Aun así, muchos otros pueblos vivieron sin construir palacios de piedra, y es la riqueza de su artesanía en barro, cestería, tejidos, la sutileza de su lengua o la complejidad de su religión lo que atestigua el esplendor de su pasado.

Sorprendentemente, más de un pueblo ha encontrado la fuerza para mantener hasta nuestros días una parte de esta herencia, a pesar de una esclavitud que les imponía el abandono de antiguas costumbres, el aprendizaje obligatorio del español o el portugués y la adopción forzada del culto cristiano. Las artes tradicionales y las lenguas locales han persistido, a pesar de todo, en el seno de las familias y de los pueblos.

¿LA SELVA AMAZÓNICA SE EXTIENDE POR TODO BRASIL?

Si bien la selva amazónica es inmensa, Brasil, grande como diecisiete veces la península Ibérica, todavía lo es más. También hay fértiles campos, planicies cubiertas de praderas o zonas desérticas.

A L nordeste de Brasil, pasada la zona costera húmeda y fértil (la mata), donde se cultivan la caña de azúcar y el cacao, se perfila el sertão, un desierto seco de hierba rasa y arbustos, y la caatinga, «la selva blanca», con sus bosquecillos impenetrables de espinos y sus cactus gigantes de diez metros de altura. En esta tierra ingrata, la sequía comporta aterradoras hambrunas entre los campesinos. A pesar de los famosos cangaceiros, medio bandidos, medio defensores de los hambrientos, con sus cartucheras estilo **Pancho Villa**, los habitantes del nordeste se han visto muchas veces obligados a huir hacia la selva amazónica o a las ciudades del sur para poder subsistir menos miserablemente.

Más al norte, hacia Venezuela, se encuentran los «llanos», la enorme pradera de la llanura del Orinoco, que alberga grandes manadas de bueyes, y al sur, el altiplano del Mato Grosso y los monótonos «campos» pantanosos del Gran Chaco, entre Bolivia y Paraguay. Finalmente encontramos la inacabable pampa argentina y el mundo de los gauchos, esos cow-boys de América Latina que conducen rebaños a través de inmensas extensiones, entre dos «haciendas». Pero eso ya no es Brasil...

¿QUÉ ES EL CULTIVO SOBRE ARTIGAS?

El cultivo sobre artigas consiste en vaciar una porción de bosque, quemando su vegetación. La ceniza enriquecerá, durante algunos años, la tierra estéril. Y entonces no queda más que sembrar…

DURANTE mucho tiempo, este tipo de cultivo ha significado la subsistencia de los indios nómadas, habituados a ir en constante búsqueda de nuevos campos para cultivar a medida que se les iba agostando la tierra.

Pero también significó la ruina de los colonos que les sucedieron, los caboclos de Brasil, campesinos pobres que huían de las regiones superpobladas del nordeste. Obligados a permanecer en el trozo de tierra cedido por el gobierno, vieron que su posesión devenía estéril...

Muchos se dedicaron entonces a otros oficios, pesados, poco rentables y a menudo arriesgados: se convirtieron en recolectores de látex, leñadores o buscadores de oro y piedras preciosas, empujando siempre a los indios selva adentro. La mayoría lo pierden todo y se apiñan, como último recurso, en los suburbios industriales donde, muy a menudo, encuentran la misma situación de inseguridad y de miseria.

En otras regiones, la vida rural no resulta mucho más fácil, excepto para el feliz propietario de una gran plantación o de una **fazenda**. Tanto la suerte de los vaqueiros (cuidadores de bueyes), como la de los campesinos que recogen caña de azúcar, café o bananas, se encuentra sometida a los deseos de un patrono, todopoderoso en esas tierras dedicadas, a menudo, a un solo tipo de cultivo.

¿HAY ORO EN BRASIL?

15

El Estado brasileño explota ricas minas de oro, al mismo tiempo que 875.000 «garimpeiros», buscadores de oro independientes, que cavan la tierra en condiciones con frecuencia infrahumanas...

DESPUÉS de la conquista del Nuevo Mundo, mientras los españoles soñaban con Eldorado, los portugueses, ocupados en el comercio de especias de Insulindia, de maderas exóticas y de marfil de África, no se interesaban por las nuevas riberas brasileñas más que para crear gigantescas plantaciones de caña de azúcar. El resultado, desde el punto de vista de las poblaciones indígenas, no fue demasiado ventajoso: familiarizados ya con la esclavitud en África, los portugueses enviaron a los **bandeirantes** a capturar indios al interior de las tierras, para proveer las plantaciones de mano de obra.

En el transcurso de una de estas cacerías del hombre los colonos descubrieron los ricos yacimientos de oro, plata y diamante en la región de **Minas Gerais**. El alud de gente hacia la zona fue inmediato y duró más de un siglo. De esta época, la ciudad de Ouro Prêto conserva el testimonio de sus suntuosas iglesias barrocas y sus residencias de ensueño, construidas por los buscadores más afortunados.

Hoy, Brasil es el sexto país del mundo en producción de oro. Un auténtico cinturón de este preciado mineral se extendería desde el Estado de Rondônia, al sudeste de la Amazonia, hasta la costa atlántica. Así, la explotación continúa, pero a expensas de los indios, mantenidos al margen de las riquezas de su propio país.

¿POR QUÉ A AMÉRICA DEL SUR SE LA DENOMINA «AMÉRICA LATINA»?

Colonizada por los españoles y los portugueses, la mitad sur del Nuevo Mundo adoptó la lengua de los conquistadores que, venidos del otro lado del mar, eran de cultura latina.

A PARTIR de las bases instaladas por Cristóbal Colón en las Antillas, las expediciones españolas conquistaron México. Después, siguiendo la costa del océano Pacífico, se bifurcaron, al sur, para someter el imperio inca y, al norte, hacia California. Los portugueses, también grandes descubridores, abordaron la costa atlántica del continente, fácilmente accesible desde sus colonias de África y las Azores.

Colonizada de este modo desde el oeste y el este simultáneamente, América del Sur fue repartida entre los portugueses, que se instalaron en lo que sería Brasil, y los españoles, que fueron a ocupar el resto del continente.

Después de la independencia de los diferentes países que hoy constituyen América Latina, emigrantes de todos los orígenes buscaron en ella refugio o fortuna y se añadieron a los esclavos negros que ya vivían allí desde hacía tiempo. Italianos, alemanes e incluso japoneses, forman comunidades importantes en distintos países. Pero, en cada uno, la lengua oficial continúa siendo la de los primeros conquistadores.

El explorador español
Orellana fue el
descubridor
del Amazonas.

¿AMÉRICA DEL SUR VIVE PERMANENTEMENTE EN REVOLUCIÓN?

Si bien algunos países gozan de un régimen democrático estable, los golpes de Estado militares y las guerrillas no han desaparecido.

UCHOS países latinoamericanos deben su origen a una revolución. La mayoría ha tenido, y algunos tienen todavía, una historia política muy agitada, debida en parte al enorme contraste entre unas minorías ricas y poderosas, con frecuencia herederas de los primeros colonos, y el resto de la población: indígenas, hijos de esclavos, mestizos, inmigrantes... En ciertas épocas, esta tensión social fue tan viva que provocó la rebelión de los menos favorecidos, llegándose a crear situaciones de represión.

De este modo llegaron al poder dictadores que, sin necesidad de elecciones democráticas, podían adoptar medidas extremas, o las **juntas** de oficiales que dirigían su país como un cuartel. Incluso los reformistas animados por un ideal de progreso, como Juan Domingo **Perón** en Argentina, se convirtieron, a veces, en déspotas, con el fin de proseguir sus reformas sin trabas, acabando por hundir a su país en una guerra civil.

En otros casos, el ansia de poder y el miedo al cambio llevaron a algunos privilegiados a aliarse con algún país extranjero más poderoso. Los Estados Unidos han influido, de este modo y durante mucho tiempo, en las llamadas «repúblicas bananeras», en las que explotaban los recursos naturales con la complicidad de los notables locales más ávidos de beneficios que preocupados por el bienestar de su país.

¿QUÉ RELIGIÓN PROFESAN LOS LATINOAMERICANOS?

Aparte de algunos poblados indígenas aislados del mundo, la fe cristiana es la de todo el continente. Pero se practica de mil y una maneras...

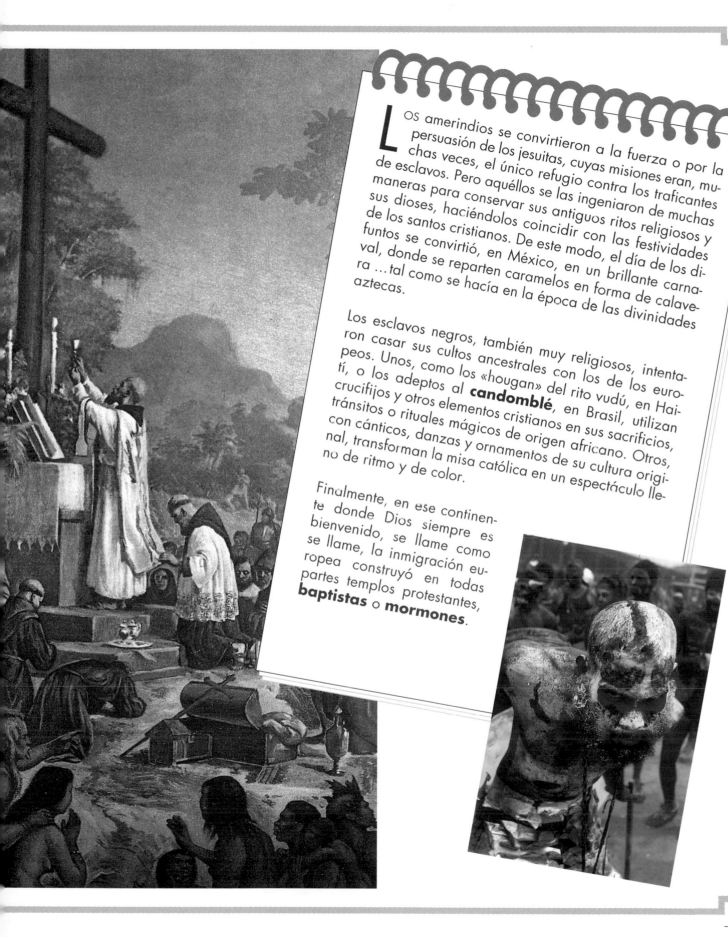

LOS amerindios se convirtieron a la fuerza o por la persuasión de los jesuitas, cuyas misiones eran, muchas veces, el único refugio contra los traficantes de esclavos. Pero aquéllos se las ingeniaron de muchas maneras para conservar sus antiguos ritos religiosos y sus dioses, haciéndolos coincidir con las festividades de los santos cristianos. De este modo, en México, el día de los difuntos se convirtió, en un brillante carnaval, donde se reparten caramelos en forma de calavera ...tal como se hacía en la época de las divinidades aztecas.

Los esclavos negros, también muy religiosos, intentaron casar sus cultos ancestrales con los de los europeos. Unos, como los «hougan» del rito vudú, en Haití, o los adeptos al **candomblé**, en Brasil, utilizan crucifijos y otros elementos cristianos en sus sacrificios, tránsitos o rituales mágicos de origen africano. Otros, con cánticos, danzas y ornamentos de su cultura original, transforman la misa católica en un espectáculo lleno de ritmo y de color.

Finalmente, en ese continente donde Dios siempre es bienvenido, se llame como se llame, la inmigración europea construyó en todas partes templos protestantes, **baptistas** o **mormones**.

Melancólico como un portugués, «bon vivant» como un africano, presumido como un indio: la personalidad del brasileño es, dicen, una armónica mezcla de sus diversos orígenes.

En Brasil, la mezcla de las más diversas razas —o mestizaje— viene de muchos años atrás. Los primeros colonos portugueses tomaron a menudo como compañeras a mujeres negras o indígenas. Los hijos nacidos de estas uniones mixtas, convertidos en servidores, trabajadores por cuenta ajena o pequeños campesinos independientes, se situaron entre una minoría de ricos propietarios blancos y la masa de esclavos negros, que hacia 1880 constituían los dos tercios de la población. El fin de la esclavitud, tan sólo en 1888, y la llegada de millones de inmigrantes europeos y japoneses, con menos recursos económicos que los descendientes de los primeros colonos, no modificaron más que parcialmente las diferencias de rango entre estos tres elementos tradicionales de la sociedad brasileña. Incluso si algunos descendientes de esclavos han triunfado en el espectáculo o el fútbol o si, a la inversa, algunos pequeños campesinos blancos del nordeste han acabado arruinados en las **favelas**, estas desigualdades sociales se perpetúan de generación en generación, a falta de un esfuerzo real de los poderes públicos para corregirlas.

Así, aunque entre las razas reina una gran tolerancia, el foso del dinero continúa separando a los más ricos, blancos la mayoría, de los más pobres, entre los que se encuentra la inmensa mayoría de los negros, los mulatos y los indios.

¿CUÁL ES LA CIUDAD MÁS HERMOSA DE BRASIL?

Famosa por su bahía, su peñón llamado Pan de Azúcar y sus playas con nombres tan encantadores como Copacabana, Río de Janeiro es la «cidade maravilhosa», la ciudad maravillosa.

ENTRE picos montañosos y cerca del mar, Río de Janeiro se encuentra situada en el paisaje más hermoso que se haya ofrecido nunca a una ciudad. Su nombre significa en portugués «río de enero», en recuerdo del descubrimiento de este lugar paradisíaco, durante el mes de enero de 1502, por los marinos de Manuel I, rey de Portugal.

Capital de Brasil hasta 1960, Río y sus alrededores forman una metrópoli de doce millones de habitantes que ha vivido durante mucho tiempo con el mito de la vida fácil. El ambiente excitante de esta ciudad atrae, desde siempre, a personajes tan brillantes como las fiestas nocturnas en las que participan. Los habitantes de Río, los cariocas, presentan una mezcla explosiva donde conviven la mayor riqueza y la pobreza extrema, la violencia y la calma, la exuberancia y el drama humano y donde la regla de oro es: «No hagas nunca hoy lo que puedas dejar para mañana…»

Atraídos por esta **megápolis**, miles de brasileños venidos del campo se instalan en los barrios de chabolas —las favelas— que la rodean, buscando un futuro mejor. Bajo la inmutable mirada del Cristo del Corcovado, muchos niños sobreviven, día a día, desafiando a los **«escuadrones de la muerte»** y buscando de qué alimentarse y dónde guarecerse.

¿DÓNDE SE CELEBRA EL MÁS IMPORTANTE DE LOS CARNAVALES?

Los carnavales de América Latina rivalizan en lujo con los del Caribe, pero hay uno que los supera a todos: el de Río.

En Brasil, el carnaval se celebra en todas partes, desde Salvador de Bahía, cuna de la **samba**, hasta Recife, al nordeste, donde ha permanecido en su forma tradicional. Pero el más conocido es, indudablemente, el de Río. Cada año, la semana antes de Cuaresma la ciudad entra en trance. Desde meses antes los cariocas se han preparado y han ahorrado el dinero necesario para la confección de los vestidos más lujosos, que exhibirán en las mejores carrozas. Desde meses antes, las escuelas de samba rivalizan en imaginación y en creatividad musical para brillar en el firmamento de la fiesta durante esos pocos días de delirio y de sueño. De la misma manera, la melancolía del día siguiente del carnaval se vive tan intensamente como la alegría de vivir que la ha precedido.

Esta fiesta es una típica manera brasileña de ahogar en música la vertiginosa cotidianeidad de una vida llena de violencia y de precariedad para la mayoría de la gente. ¿Es para afrontar esta dura realidad por lo que los cariocas son tan sonrientes como despreocupados? Para sobrevivir en este universo hermoso y salvaje a la vez, los brasileños de Río piensan que nada en el mundo es serio y que sólo cuentan los buenos momentos de la vida, que deben tomarse tal como vienen...

¿EXISTE ALGUNA CIUDAD FUTURISTA EN BRASIL?

Cuando el presidente Kubitschek fue elegido en 1955, juró que dotaría a su país de una capital futurista edificada en el corazón de inmensas tierras vírgenes: Brasília.

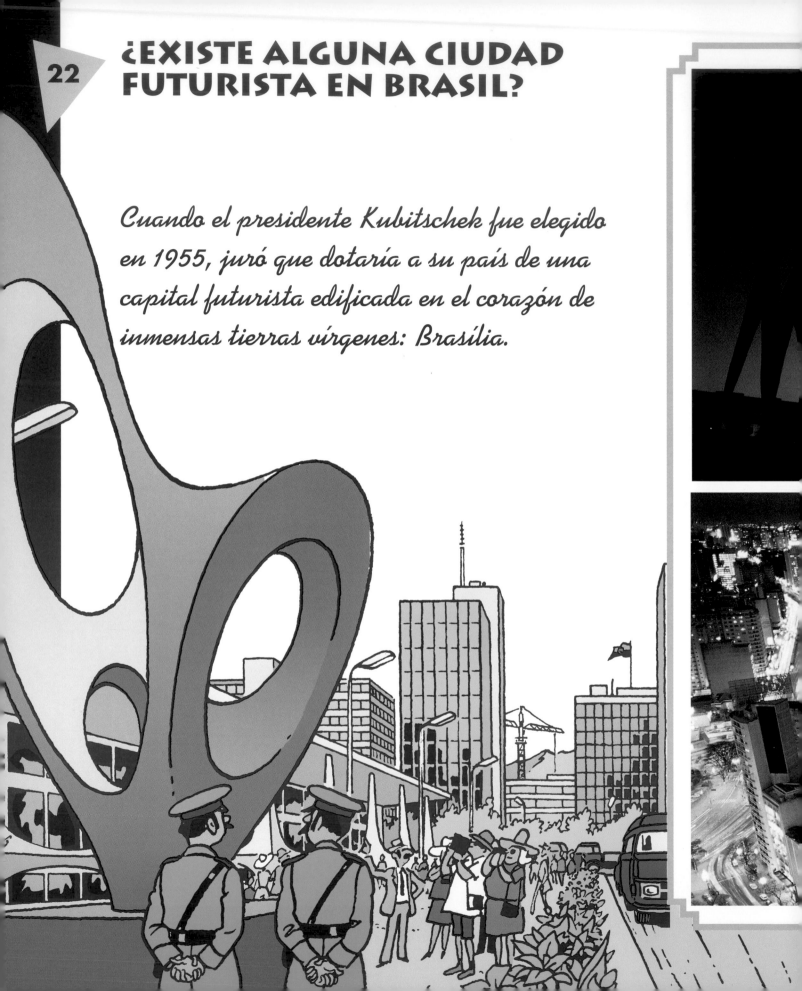

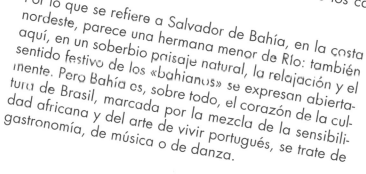

LOS soberbios edificios oficiales de Brasília, diseñados por el arquitecto Oscar **Niemeyer**, son el orgullo de todo el país. Aunque el desarrollo urbanístico de la ciudad revela también algunas contradicciones: esta inmensa ciudad es un «sueño» pensado para privilegiados que circulan en coche con aire acondicionado entre sus barrios residenciales y las zonas del centro, pero es un infierno para los pobres trabajadores que recorren el mismo trayecto a pie... y que no cuentan con otro alojamiento que los barrios de chabolas que rodean esta «ciudad ideal» con sus bolsas de pobreza.

La inmensa São Paulo, la Nueva York del sur, es el principal centro de negocios de Brasil y su corazón industrial. La seriedad y afición al trabajo de sus habitantes son tan famosos como la relajación de los cariocas, los habitantes de Río.

Por lo que se refiere a Salvador de Bahía, en la costa nordeste, parece una hermana menor de Río: también aquí, en un soberbio paisaje natural, la relajación y el sentido festivo de los «bahianos» se expresan abiertamente. Pero Bahía es, sobre todo, el corazón de la cultura de Brasil, marcada por la mezcla de la sensibilidad africana y del arte de vivir portugués, se trate de gastronomía, de música o de danza.

¿CUÁL ES EL DEPORTE FAVORITO DE LOS BRASILEÑOS?

El fútbol es una pasión genuinamente brasileña. Algunos de los mejores jugadores del mundo han surgido de Brasil.

Los brasileños viven el fútbol con la misma intensidad que caracteriza, en general, todo lo que hacen. El culto que los cariocas profesan a los dioses del balón está en consonancia con el estadio donde éstos se exhiben. Sobre el terreno de juego de Maracaná, en Río, en el que se agolpan 200.000 personas, el famoso rey **Pelé** magnificó un deporte convertido, por la magia del juego y del ambiente de las gradas, en un espectáculo sorprendente.

Orquestas y sambas puntean con su ritmo la carrera desenfrenada de la pelota, seguida por un público mayoritariamente de color que, con una mano, agita banderas y cometas y, con la otra, se pega el aparato de radio a la oreja. Tambores, petardos, gritos y pullas de todas clases acompañan el desarrollo del partido de futebol. Pero más allá del mayor estadio del mundo, es toda una ciudad la que está en ebullición, siguiendo con delirio las evoluciones de sus jugadores.

Una vez más, en Río no se dormirá si no es tras una noche de charla alrededor de una feijoada, el plato nacional, una sopa espesa a base de judías negras con una guarnición de trozos de buey y de cerdo. Los cariocas la comen con la misma pasión que ponen en los chistes y las bromas durante sus veladas.

¿DÓNDE SE ENCUENTRAN LAS CATARATAS DEL IGUAZÚ?

Situadas en el río Paraná, entre Brasil, Paraguay y Argentina, las cataratas del Iguazú son las más espectaculares del mundo: 72 m de altura, 5 km de anchura...

El río Iguazú es un afluente del Paraná. Nacido en el corazón de Brasil, el Paraná describe un inmenso meandro antes de desembocar en el Atlántico. Su estuario se denomina Río de la Plata.

En su recorrido, el Paraná recibe al río Paraguay, que drena la inmensa ciénaga del Pantanal, con una superficie equivalente a media España, un verdadero paraíso para seiscientas especies de pájaros y muchos otros animales acuáticos. Este río, más largo que muchos otros, da nombre a un sorprendente estado del cono sur. Los indios guaraníes, antiguamente protegidos por los jesuitas en sus misiones, forman todavía un importante núcleo de la población. En los llanos del Gran Chaco se dedican a la cría del bovino, y producen tabaco, algodón, caña de azúcar... y otros productos agrícolas. Desgraciadamente, les falta una fácil salida al mar.

Al otro lado de Brasil, en Venezuela, se encuentra el Salto Angel, una impresionante cascada de 978 m. Es la más alta del mundo. No lleva este nombre por alusión al «salto del ángel» de los acróbatas, sino en recuerdo del piloto norteamericano Jimmy Angel, quien la descubrió en 1935, en una región todavía hoy muy salvaje. El Salto Angel se encuentra en el curso del Caroní, un afluente del Orinoco que, aun siendo hermano pequeño del Amazonas, tiene una longitud de 3.000 km.

¿QUÉ SIGNIFICA EL NOMBRE DE VENEZUELA?

En 1499, al observar las casas sobre pilotes y las piraguas de los indígenas de esta región de América, Vespucio la bautizó como «pequeña Venecia».

CUATROCIENTOS años después del descubrimiento de Cristóbal Colón, Venezuela fue por fin merecedora de su nombre, que la relacionaba, gracias al descubrimiento de una inmensa bolsa de petróleo, con la ciudad más opulenta de Italia. Porque este estado, rico en recursos (la cuenca del Orinoco cuenta con muchos yacimientos mineros), pero incapaz de invertir para explotarlos, fue durante mucho tiempo uno de los más pobres de América del Sur. A principios de este siglo, las flotas de Europa llegaron incluso a bloquear los puertos venezolanos para reclamar la devolución de los préstamos.

La explotación del inmenso campo petrolífero situado bajo el lago Maracaibo cambió el destino del país, y Venezuela se convirtió en el más rico de la zona. Pero no fue hasta 1958 cuando esta importante fuente de ingresos empezó a revertir en una mejoria de la situación del pueblo.

Desde entonces, Venezuela ha consolidado su democracia, a pesar del peso siempre enorme de la deuda nacional, la cual de vez en cuando favorece protestas e incluso revueltas (como en 1989) por parte de una población todavía pobre. Lejos del lujo y de las inmensas zonas verdes de Caracas, la capital, el campesino venezolano no vive mucho mejor que su vecino brasileño o colombiano.

¿CUÁL ES LA CIUDAD MÁS GRANDE DE AMÉRICA?

Más grande que las ciudades de Nueva York o Los Ángeles, México es una «megápolis» con, más o menos, ¡20 millones de habitantes!

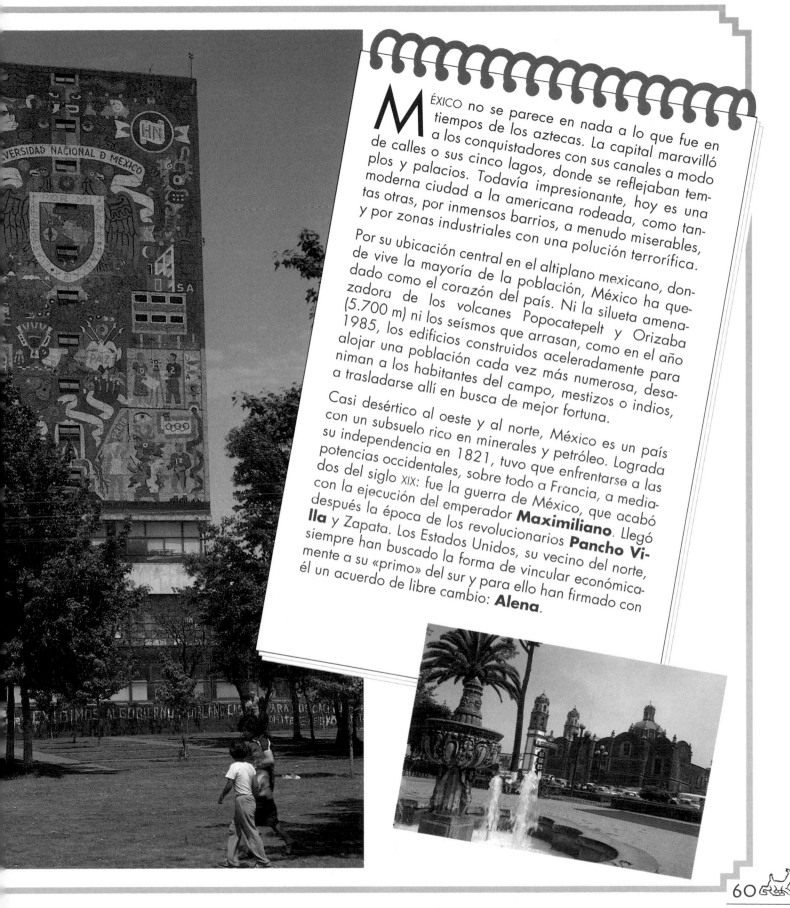

MÉXICO no se parece en nada a lo que fue en tiempos de los aztecas. La capital maravilló a los conquistadores con sus canales a modo de calles o sus cinco lagos, donde se reflejaban templos y palacios. Todavía impresionante, hoy es una moderna ciudad a la americana rodeada, como tantas otras, por inmensos barrios, a menudo miserables, y por zonas industriales con una polución terrorífica.

Por su ubicación central en el altiplano mexicano, donde vive la mayoría de la población, México ha quedado como el corazón del país. Ni la silueta amenazadora de los volcanes Popocatepelt y Orizaba (5.700 m) ni los seísmos que arrasan, como en el año 1985, los edificios construidos aceleradamente para alojar una población cada vez más numerosa, desaniman a los habitantes del campo, mestizos o indios, a trasladarse allí en busca de mejor fortuna.

Casi desértico al oeste y al norte, México es un país con un subsuelo rico en minerales y petróleo. Lograda su independencia en 1821, tuvo que enfrentarse a las potencias occidentales, sobre todo a Francia, a mediados del siglo XIX: fue la guerra de México, que acabó con la ejecución del emperador **Maximiliano**. Llegó después la época de los revolucionarios **Pancho Villa** y Zapata. Los Estados Unidos, su vecino del norte, siempre han buscado la forma de vincular económicamente a su «primo» del sur y para ello han firmado con él un acuerdo de libre cambio: **Alena**.

¿DÓNDE VIVÍAN LOS CARIBES?

Los caribes, primeros indígenas en recibir a Cristóbal Colón en América, han desaparecido de las Antillas en menos de 200 años, diezmados por las enfermedades y los trabajos forzados.

D^E los desaparecidos indios caribes sólo nos queda el nombre, atribuido al mar que baña las islas donde habían vivido. Los actuales habitantes de las Antillas son descendientes de los colonos europeos y de los esclavos africanos que trabajaban en las inmensas plantaciones de caña de azúcar, de tabaco o de frutas tropicales.

Algunas islas de las Antillas, llamadas también Islas del Viento, todavía son departamentos franceses (como Guadalupe o Martinica), pero las tres Grandes Antillas acabaron por conseguir su independencia. Sin grandes riquezas naturales, han conocido suertes muy diversas. Por un lado, Cuba, bajo un régimen comunista, es dirigida desde hace mucho tiempo con mano férrea por **Fidel Castro**. Mientras en Haití, el ejército ha sucedido a los Duvalier, padre e hijo, sanguinarios tiranos cuyos sicarios, los «tontons macoutes», aterrorizaban a la población.

Ni la miseria ni los huracanes tropicales o las terribles erupciones volcánicas logran acabar con el gusto por la fiesta y las costumbres abigarradas de los habitantes de estas soleadas islas, su hablar cantarín y sus músicas cálidas. Las Antillas atraen, especialmente en invierno, a numerosos turistas llegados de Estados Unidos, Canadá y Europa.

28

¿QUIÉNES ERAN LOS FILIBUSTEROS?

En la ruta de los galeones españoles que transportaban el oro del Nuevo Mundo, el mar Caribe se convirtió en el paraíso de los piratas. Eran los filibusteros...

S U nombre proviene del antiguo neerlandés y significa «saqueador sin ley». También se los denomina bucaneros, porque habían adoptado la costumbre indígena de ahumar, sobre una parrilla denominada bucán, la carne de los bueyes que cazaban en las islas. Aventureros de los mares, los **filibusteros** fundaron, principalmente en la isla de la Tortuga, cercana a Haití, verdaderas repúblicas de bandidos, y su pabellón, con la calavera de la muerte, sembró el terror entre los navegantes españoles.

Los más famosos fueron Henry Morgan, Barbanegra, el capitán Kidd y Nicolás Laffite. Este último defendió en 1812 la colonia francesa de Luisiana contra el ataque de los ingleses, pues los reinos europeos se aliaron en ocasiones con estos francotiradores del mar, como el famoso Surcouf. Convertidos entonces en corsarios, estaban autorizados, mediante documento oficial, a saquear los buques enemigos.

Los navíos que hoy en día atraviesan estas aguas para llegar al canal de Panamá ya no temen a los piratas, sino a los huracanes y a los bajíos. Éstos han provocado tantos naufragios y misteriosas desapariciones que ha nacido la leyenda del «**triángulo de las Bermudas**». Pero todo esto no impide que el mar Caribe atraiga cada vez más los cruceros de lujo con miles de turistas, los amantes de la pesca deportiva y los buceadores en busca de tesoros sumergidos…

29

¿CÓMO HAN EVOLUCIONADO LOS NEGROS EN AMÉRICA LATINA?

Desde la coexistencia pacífica con los blancos en Brasil a los terribles enfrentamientos que han marcado la historia de Haití, la suerte de miles de negros latinoamericanos ha sido muy diferente.

En la República Dominicana, como en la mayoría de las Antillas, la población está compuesta sobre todo por mulatos, es decir, personas nacidas de uniones mixtas entre blancos y negros. Pero en Haití, en la parte occidental de la misma isla, se encuentra básicamente a negros, descendientes de los esclavos africanos «importados» por un grupo de franceses para sus plantaciones de caña de azúcar.

Mientras que en otras islas los «**negros marrones**» se conformaban con huir de las plantaciones para refugiarse en las montañas del interior, los de Haití, con el famoso **Toussaint Louverture** al frente, llevaron a cabo una verdadera guerra contra las tropas enviadas por Napoleón. Si bien fueron vencidos, estos rebeldes se convirtieron en los antepasados del actual Estado de Haití.

Pero la herencia de los esclavos negros no se reduce a sangrientas páginas de historia. Es sobre todo la vivacidad de su cultura la que ha marcado América latina hasta nuestros días con ritos religiosos como el **vudú** en Haití, la macumba y el candomblé en Brasil, o las tradiciones sociales como el «movimiento rasta» en Jamaica. Sin contar con la música o la danza en sus innumerables formas de expresión.

¿DE DÓNDE PROCEDE EL REGGAE?

Fue en Jamaica donde nació esta música rítmica que el cantante Bob Marley hizo mundialmente célebre en los años setenta, al adaptarla al rock.

D ESDE hace mucho tiempo, toda América Latina alimenta al planeta con ritmos sincopados y danzas balanceantes. La mayoría nació de la mezcla de aires populares europeos, aportados por los colonos, con la música de los indios y los ritmos tradicionales de los esclavos africanos. Desde comienzos de siglo, el pasodoble y el tango, nacido en Buenos Aires, se bailaban junto con la polka en los salones de Europa.

Fue sobre todo después de la segunda guerra mundial cuando se descubrieron, gracias a músicos emigrados a los Estados Unidos, las trepidantes danzas de Cuba (la rumba y la salsa) o las más relajadas del Brasil (bossa-nova, samba).

De la biguine antillana a la lambada de origen boliviano, muchas músicas latinas se escuchan hoy en todo el mundo. Pero la variedad de la música sudamericana, desde el steel-drum de Trinidad, tocado sobre barriles de petróleo, a la de los **mariachis,** todavía reserva muchas posibilidades a los futuros bailarines. Sin olvidar los aires nostálgicos de la flauta de los Andes ni los ritmos del berimbao, el arco musical de los amazónicos.

A

ALENA: acuerdo de libre cambio entre EEUU, México y Canada.

AMAZONAS: río de América del Sur. Nace en el Perú y desemboca en el Atlántico. Es el primero del mundo en cuanto a la superficie de su cuenca y el segundo, después del Nilo, por su longitud (6.400 km). Si, como la mayoría de los geógrafos, consideramos el Apurímac como su rama madre, la longitud aumentaría a 7.025 km.

ANFIBIO: capaz de vivir al aire libre y en el agua.

AZTECAS: indígenas llegados del norte, penetraron en el actual valle de México en el siglo XIII y fundaron su ciudad principal, Tenochitlan (futuro México), en 1325. A principios del siglo XV, el imperio azteca se extendía por todo el México central, pero al enfrentarse a los españoles, el emperador Moctezuma no supo oponer la suficiente resistencia. El imperio fue desmantelado hacia 1525 y el último emperador, Cuauhtémoc, colgado.

B

BANDEIRANTES: aventureros portugueses llegados a Brasil en busca de oro y esclavos.

BAPTISTAS: adeptos a la doctrina religiosa según la cual el bautismo debe administrarse a personas en uso de razón y por inmersión completa.

C

CACIQUE: jefe indígena de algunas tribus de América.

CAIMÁN (PALABRA CARIBE): reptil de América central y meridional (de 5 a 6 m de largo).

CANDOMBLÉ: rito de origen africano practicado en el Estado de Bahía. La ordenación de los sacerdotes se hace con un ceremonial que incluye afeitado de cabeza, baños rituales y la aplicación de plumas y sangre de pollo o de cabra en la frente. La ceremonia está acompañada por el sordo redoble de los tambores, cantos africanos y danzas frenéticas que tienen como objetivo hacer entrar en tránsito a los iniciados.

CAUCHO: palabra de origen peruano. Sustancia elástica, impermeable, procedente del látex de diversos árboles tropicales (ficus, hevea...) o elaborada artificialmente.

CHAMÁN: sacerdote mago, que adivina y practica curas de acuerdo con los espíritus de la naturaleza, con quienes entra en contacto a través de un viaje místico por el trance y el éxtasis.

D

DESFORESTACIÓN: destrucción de los bosques.

E

ESCUADRONES DE LA MUERTE: grupos parapoliciales que practican, en la mayoría de las grandes ciudades brasileñas, la liquidación sumaria y sin juicio de personas caídas en desgracia a ojos de la policía. Las víctimas pertenecen, casi siempre, a las capas menos favorecidas de la población: los habitantes de las favelas. Gran número de estos ejecutados son jóvenes menores de veinte años, casi todos negros o mulatos.

F

FAVELAS: conjunto de habitáculos desprovistos de toda comodidad y situados en los barrios populares de las grandes ciudades. Barrios de chabolas.

FAZENDA: gran propiedad, en Brasil.

FIDEL CASTRO (SANTIAGO DE CUBA, 1927): revolucionario y hombre de Estado cubano. En 1956 desembarcó en Cuba con partisanos, organizó la guerrilla contra el dictador Batista y tomó el poder después de la caída de este último en 1959.

FILIBUSTEROS: piratas que, en los siglos XVII y XVIII, saqueaban las costas de las Antillas y devastaban las posesiones españolas.

FITZCARRALDO: nombre dado a Brian Fitzgerald, barón del caucho, cuya locura fue llevada a la pantalla por Werner Herzog.

J

JESUITAS: construyeron las misiones en el siglo XVII, alrededor de las cuales se organizaban los poblados indígenas. Su objetivo era proteger a las tribus guaraníes de los traficantes de esclavos. Los jesuitas controlaron, de este modo, la región durante más de un siglo, supervisando la construcción de ciudades indígenas que llegaron a acoger a 5.000 habitantes. En 1756, las misiones fueron atacadas y vencidas por los esclavistas, los jesuitas expulsados y los guaraníes, en gran parte, exterminados.

JUNTA: asamblea administrativa, política o militar en España, Portugal o América Latina. Nombre dado a ciertos gobiernos surgidos de un golpe de Estado militar.

M

MANDIOCA: arbusto de las regiones tropicales, cuya raíz produce una fécula alimenticia, la tapioca.

MARIACHIS: nombre dado en México a los músicos ambulantes vestidos con ropas de fantasía que tocan en grupo en las bodas y en las fiestas.

MAXIMILIANO (1832-1867): hermano del emperador Francisco José, archiduque de Austria, casado en 1857 con la princesa Carlota de Bélgica. En 1863 Napoleón III le ofreció la corona imperial de México. Capturado por Benito Juárez, fue fusilado en 1867.

MAYAS: pueblo indígena de América Central, cuya brillante civilización se extendía sobre casi todo el actual territorio de Guatemala, Honduras y México meridional. Formada principalmente por guerreros y comerciantes, la sociedad maya estaba muy jerarquizada y era dominada por una aristocracia que mandaba sobre los esclavos y prisioneros, que asumían los trabajos más pesados. Actualmente no hay más de 330.000 mayas dispersos por Guatemala y México.

MEGÁPOLIS: aglomeración urbana muy importante.

MINAS GERAIS: Estado de Brasil. Un poco más grande que la península Ibérica, tiene una población de quince millones de habitantes. Minas Gerais significa «minas generales». Los filones, aparentemente inagotables, han proveído de oro, diamantes y mineral de hierro al mundo entero.

MORMONES: adeptos de una secta de origen norteamericano que admite los principios esenciales del cristianismo y presenta analogías con el islam.

N

NEGRO MARRÓN: en la América colonial se denominaba así a los esclavos fugitivos.

NEUMÁTICO: inventado en 1845 por Robert William Thompson, el neumático no conoció un verdadero desarrollo hasta John Boyd Dunlop, en 1888, y los hermanos Michelin en 1891.

NIEMEYER (OSCAR SOARES): arquitecto nacido en 1907 en Río de Janeiro. Después de numerosas obras, el presidente Kubitschek le encargó el diseño de los edificios oficiales de la nueva capital, Brasília.

O

OLMECAS: antiguo pueblo de México, entre el 2000 y el 200 a. C. La brillantez de los olmecas se ha reencontrado en todos los pueblos de México. Se atribuye a los olmecas la invención del calendario mesoamericano, perfeccionado por los mayas.

ORELLANA (FRANCISCO DE) (1511-1546): explorador español del siglo XVI. Compañero de Pizarro en la conquista del Perú, exploró las regiones al este de la cordillera de los Andes, después llegó al Amazonas, cuyo curso siguió hasta el Atlántico.

P

PANCHO VILLA (1878-1923): general revolucionario mexicano. Bandido de buen corazón, revolucionario perpetuo, pasó de un partido a otro y acabó sometiéndose al gobierno legal en 1920. Murió asesinado tres años más tarde.

PELÉ (EDSON ARANTES DO NASCIMENTO): llamado «el rey Pelé». Futbolista brasileño. Revelación en la Copa del mundo de 1958, ganada por Brasil. Pelé se impuso como el mejor jugador del mundo. Goleador notable, también fue un excelente organizador del juego.

PERÓN (JUAN DOMINGO) (1895-1974): político argentino. Elegido Presidente de la República Argentina en 1946, estableció el «justicialismo», que encontró el apoyo del clero, de las fuerzas armadas, de los partidos de izquierda y de los nacionalistas de extrema derecha. Esta doctrina, muy popular al principio y que se convirtió en dictadura hacia 1950, conjugaba medidas sociales, política antinorteamericana, catolicismo, represión y nacionalización. Fue destituido por un golpe militar en 1955 y se refugió en España. De regreso de su exilio, ocupó de nuevo la presidencia tras triunfar en las elecciones de 1973.

S

SAMBA: baile popular brasileño de origen africano, a dos tiempos, de ritmo sincopado.

SANGUIJUELA: gusano que se fija a la piel con sus ventosas y succiona la sangre después de haber practicado una incisión, gracias a las tres mandíbulas que rodean su boca.

T

TAPIR: mamífero ungulado, herbívoro, de tamaño bastante grande (hasta 2 m.), de patas cortas, cuya nariz se prolonga en una corta trompa.

TOLTECAS: pueblo indígena que se instaló al norte del actual México entre el 950 y el 1500. En el siglo X el rey de los toltecas fue vencido por los sacerdotes al servicio del sanguinario dios Tezcatlipoca y constituyeron el Imperio tolteca, que dominó todo el México central desde el Atlántico hasta el Pacífico. Desarrollaron una civilización que influenció en los mayas.

TUCÁN: pájaro saltador, de vistoso plumaje y enorme pico, que vive en los bosques tropicales de América del Sur.

TOUSSAINT LOUVERTURE (1743-1803): antiguo esclavo convertido en político haitiano. Llamó a los negros a defender el gobierno francés que acababa de abolir la esclavitud (1794). Proclamó su intención de crear una república negra y defendió la isla contra los ingleses y los españoles. Después de una heroica resistencia, tuvo que capitular ante la expedición de reconquista enviada por Bonaparte (1802). Arrestado, llevado a Francia e internado en la fortaleza de Joux, murió poco antes de que se proclamara la independencia de Haití.

TRIÁNGULO DE LAS BERMUDAS: en el océano Atlántico, entre Puerto Rico, las Bermudas y las Bahamas, donde se han producido numerosas desapariciones de aviones y de barcos. Algunos las atribuyen a anomalías magnéticas. La corriente del Golfo, rápida y agitada, puede borrar todo rastro de un naufragio. La variedad del fondo marino provoca también violentas y cambiantes corrientes.

V

VUDÚ: culto importado en las Antillas por los esclavos negros.

Y

YANOMAMIS: indígenas de América del Sur. Ocupan las regiones fronterizas entre Brasil y Venezuela, y llevan una vida seminómada. Eran 22.000, de los cuales había 9.000 en Brasil (1987). Después de 1987, sus territorios fueron invadidos por los buscadores de oro, y fueron, por tanto, víctimas de mortandades, enfermedades blancas, violaciones y deportaciones.

cronología

	3000	Cultura de Valdivia en el Ecuador: pueblos semisedentarios
Inicio de la Edad del Bronce en Anatolia (Turquía)		
Fundación de la 1.ª dinastía de Babilonia (1894)	2000	Cultura de la mandioca en la Amazonia y el Orinoco
Invención de la moneda (680) Augusto culmina la conquista romana de España (26-19)	1000	Civilización olmeca en México. Inicio de un sistema de calendario y de escritura en América Central
Pueblos germánicos penetran por los Pirineos (409)	0	Monumento maya de Tikal, el más antiguo de piedra (292)
Batalla de Guadalete (711) Los árabes invaden la península Ibérica y son rechazados en Poitiers (732)	500	Fin de la época maya clásica en México (950)
Viaje de Marco Polo a la China (1271-1295)	1000	Cristóbal Colón desembarca en Guanahaní (San Salvador) (1492)
Abdicación de Carlos I de España y V de Alemania (1556)	1500	Hernán Cortés conquista México (1519-1526) Orellana descubre la desembocadura del Amazonas (1542)
Vida de Cervantes (1547-1616)	1600	El capitán Pedro de Texeira remonta el Amazonas desde Belem hasta Quito (1637-1638)
Guerra de Sucesión española (1701-1715)	1700	Publicación en París del mapa del curso del Amazonas por el padre Fritz (1717) Viaje de Von Humboldt y Bonpland desde el Orinoco hasta el río Negro.
La monarquía española pierde Cuba, Puerto Rico y Filipinas (1898)	1800	Independencia de Brasil (1822) Vida de Pancho Villa (1878-1923)
Guerra civil española (1936-1939)	1900	Fundación de la FUNAI (1972)

México
▲ Popocatepetl
▲ Orizaba
Yucatán
MÉXICO
BELICE
GUATEMALA
EL SALVADOR HONDURAS
NICARAGUA
COSTA RICA
PANAMÁ
Canal de
Panamá
Panamá

CUBA
JAMAICA
HAITÍ
REPÚBLICA
DOMINICANA
**Santo
Domingo**
PUERTO RICO

MAR CARIBE

Guadalupe
Dominica
Martinica
Santa Lucía
Barbados
Granada

OCÉANO
ATLÁNTICO

Islas Azores

Maracaibo **Caracas**
Trinidad
y
Tobago
Llanura del Orinoco
Caroní
VENEZUELA
COLOMBIA
SURINAM
GUAYANA
GUAYANA
FRANCESA

Japurá
Río Negro
Belem
ECUADOR
Amazonas
Iquitos
Islas
Galápagos
Manaos
AMAZONIA
PERÚ

San Francisco
BRASIL

Rondônia

C
O
R
D
I
L
L
E
R
A
D
E
L
O
S
A
N
D
E
S

Urubamba
Apurímac

BOLIVIA

**Salvador
de Bahía**

Altiplano del
Mato Grosso
Brasília

MINAS GERAIS
Ouro Prêto

PARAGUAY
Paraná
Cataratas
del Iguazú
Asunción
**Río de
Janeiro**

OCÉANO
PACÍFICO

Paraná

ARGENTINA

Uruguay

CHILE
URUGUAY
Santiago
Buenos Aires

Río Colorado

Río Negro

OCÉANO
ATLÁNTICO

Islas
Malvinas

Tierra
del
Fuego

Cabo
de Hornos

0   1000   2000   3000 km

Índice

bibliografía

LA AMAZONIA DE 7 A 77 AÑOS

La oreja rota
Hergé
Ed. Juventud

A lo largo del Amazonas
W. Kingston
Ed. Espasa Calpe

A través de la América del Sur
Diego de Ocaña
Ed. Información y Rev., 1987

El Amazonas, un gigante herido
Alain Gheerbrant
Ed. Aguilar, 1989

La aventura de la vida
Félix Rodríguez de la Fuente
Ed. Urbión, 1983

Del Orinoco al Amazonas
Alexander von Humboldt
Ed. Labor, 1988

El descenso del Amazonas
Joe Kane
Ed. Edhasa, 1991

**Los descubridores del Amazonas.
La expedición de Orellana**
Leopoldo Benites Vinuesa
Ed. Cultura Hisp., 1975

Exploración del Valle del Amazonas
Lardner Gibbon
Ed. Ceta, 1992

El maravilloso Amazonas
Willard Price
Ed. Iberia, 1964

Los misterios del Amazonas
Petru Popescu
Ed. Plaza y Janés, 1992.

El naturalista por el Amazonas
(tomos 1, 2 y 3)
Harry Walter Bates
Ed. Laertes, 1984-1985

El mundo del jaguar
(Col. El hombre y la Tierra)
Félix Rodríguez de la Fuente
Fd. Jaimes-Libros, 1978

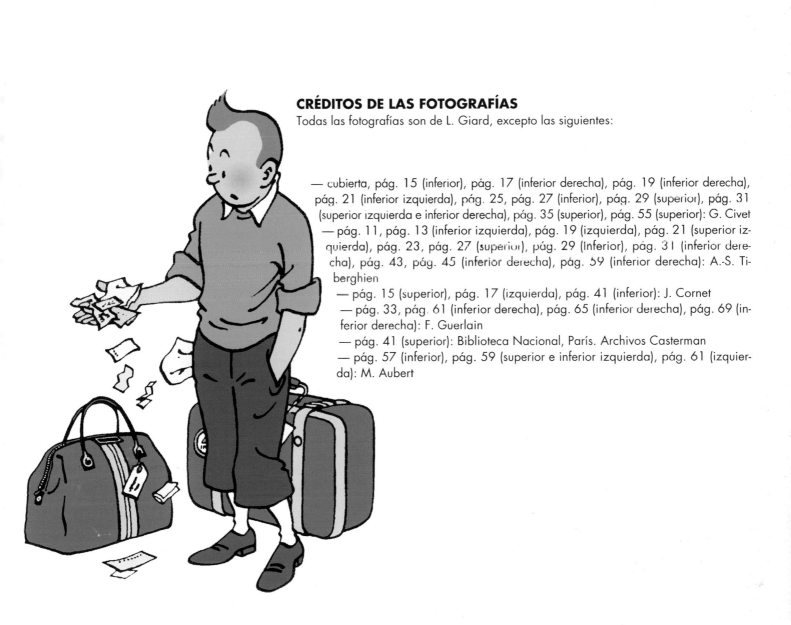

CRÉDITOS DE LAS FOTOGRAFÍAS

Todas las fotografías son de L. Giard, excepto las siguientes:

— cubierta, pág. 15 (inferior), pág. 17 (inferior derecha), pág. 19 (inferior derecha), pág. 21 (inferior izquierda), pág. 25, pág. 27 (inferior), pág. 29 (superior), pág. 31 (superior izquierda e inferior derecha), pág. 35 (superior), pág. 55 (superior): G. Civet

— pág. 11, pág. 13 (inferior izquierda), pág. 19 (izquierda), pág. 21 (superior izquierda), pág. 23, pág. 27 (superior), pág. 29 (Inferior), pág. 31 (inferior derecha), pág. 43, pág. 45 (inferior derecha), pág. 59 (inferior derecha): A.-S. Tiberghien

— pág. 15 (superior), pág. 17 (izquierda), pág. 41 (inferior): J. Cornet

— pág. 33, pág. 61 (inferior derecha), pág. 65 (inferior derecha), pág. 69 (inferior derecha): F. Guerlain

— pág. 41 (superior): Biblioteca Nacional, París. Archivos Casterman

— pág. 57 (inferior), pág. 59 (superior e inferior izquierda), pág. 61 (izquierda): M. Aubert

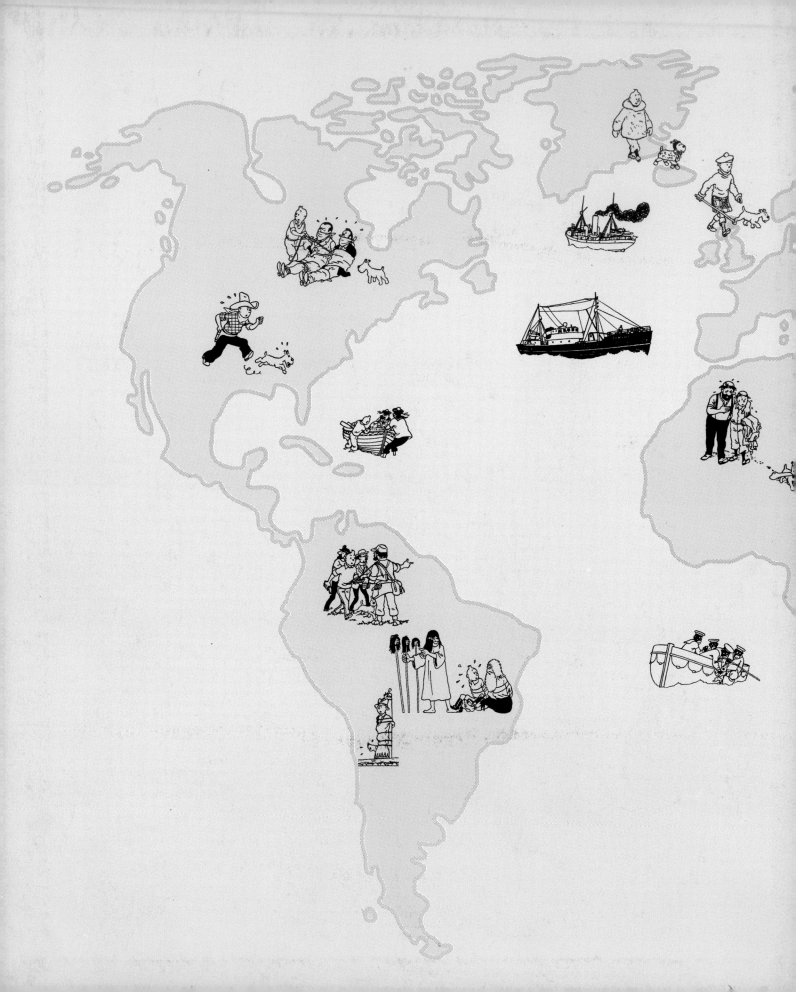